Pas un jour sans soleil

François Ravard

Glénat

À ma fille, Lise, source d'inspiration inépuisable,
et à Esthel, pour son aide précieuse.

François Ravard

www.glenatbd.com

Éditions Glénat - Couvent Sainte-Cécile – 37 rue Servan – 38000 GRENOBLE

Dépôt légal : juillet 2018
ISBN : 978-2-344-02788-2 / 001
Achevé d'imprimer en Belgique en juin 2018 par Lesaffre,
sur papier provenant de forêts gérées de manière durable.

C’est beau
C’est frais
C’est léger

L’élève Ravard a sûrement dû copier ces lignes 100 fois à l’école.
Je l’imagine regardant par la fenêtre de la classe : un gamin avec un plâtre, paf une idée, le prof de sport empâté, paf une deuxième...

L’illustrateur a grandi, la technique aussi, il a pris de la bouteille mais, et c’est ça qui est important, l’œil frise encore et toujours.
Et nous on se régale de sa poésie, on se promène dans ses aquarelles comme sur la plage, on a un goût d’enfance, des envies de maillots, de glaces à la fraise, de beignets aux abricots... et le sourire flotte encore longtemps après la lecture.

Allez monsieur Ravard, on refait encore des lignes parce que des livres comme ça, on en veut encore.

C’est beau,
C’est frais,
C’est léger.

C’est beau,
C’est frais,
C’est léger.

...

Pascal Rabaté

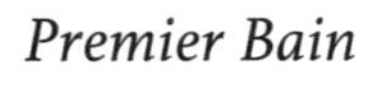

Premier Bain

Printemps.

Introspection

Printemps.

Le Goûter Inattendu

Printemps.

Eclipse

Printemps.

Vases Communicants

Printemps.

Chien Méchant
Printemps.

Daltonienne

Printemps.

Duel

Printemps.

Le Dernier Baiser

Printemps.

Le Grand Frisson

Printemps.

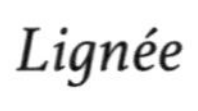

Lignée

Printemps.

Reflets
Printemps.

Le Coup de la Panne

Printemps.

Péché Mignon

Printemps.

Chassé-croisé

Été.

Les Oiseaux

Été.

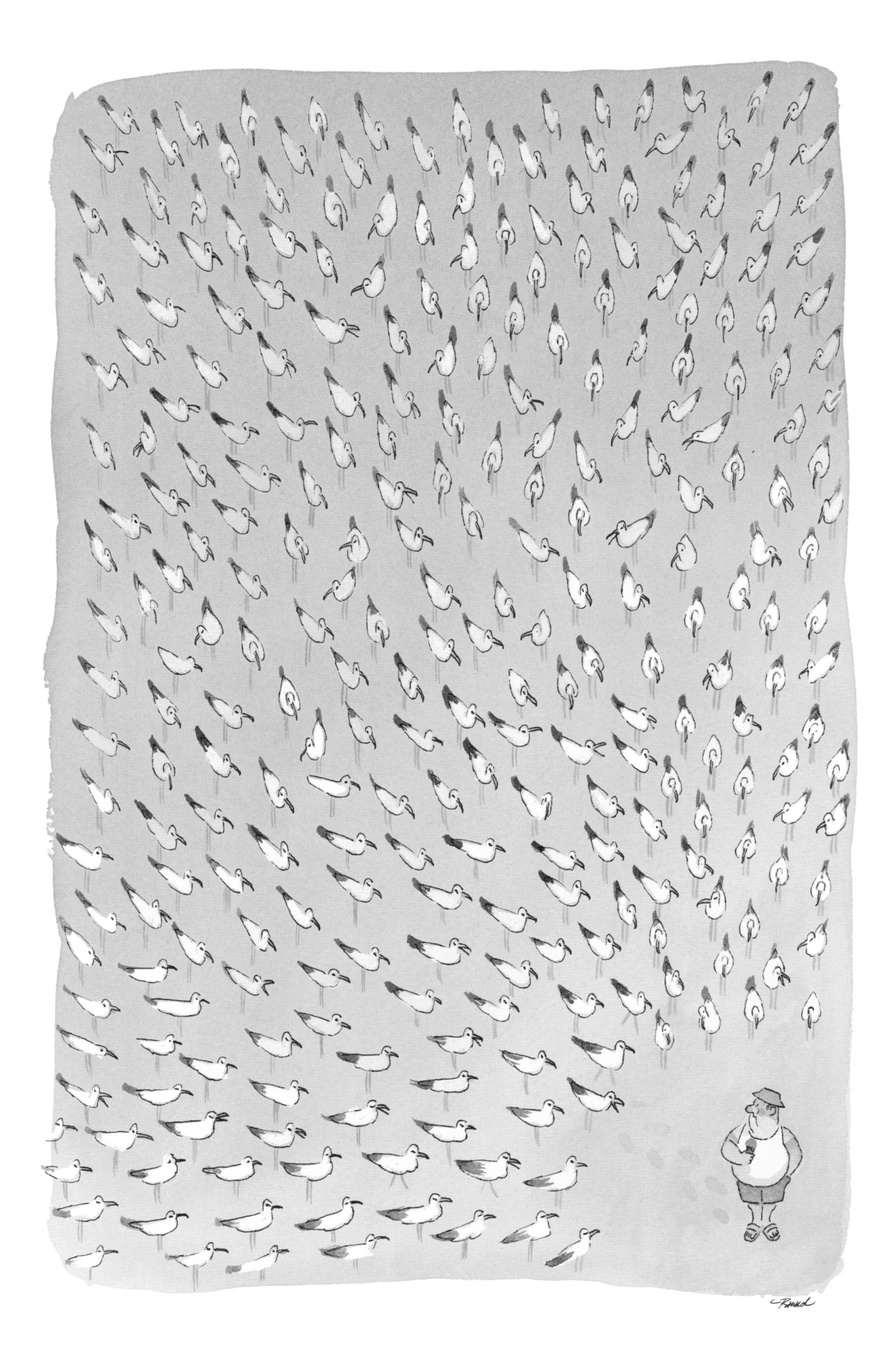

Point Break

Été.

L'Envol
Été.

L'Envolée
Été.

Vacances Brisées

Été.

En Marche

Été.

Rose des Sables

Été.

15 Août

Été.

Télétravail

Été.

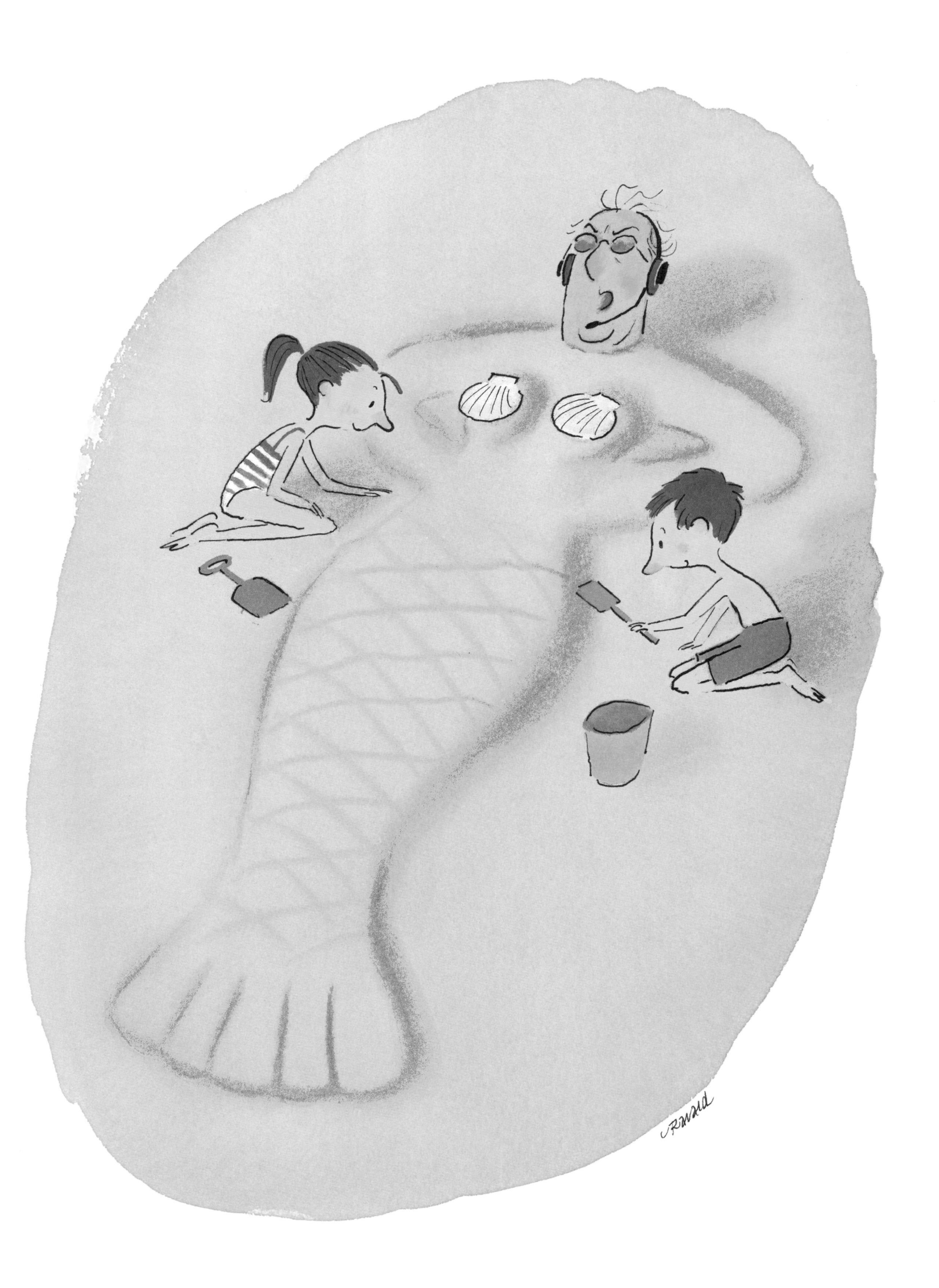

La Baigneuse

Été.

Les Méduses

Été.

Marinière Naturelle

Été.

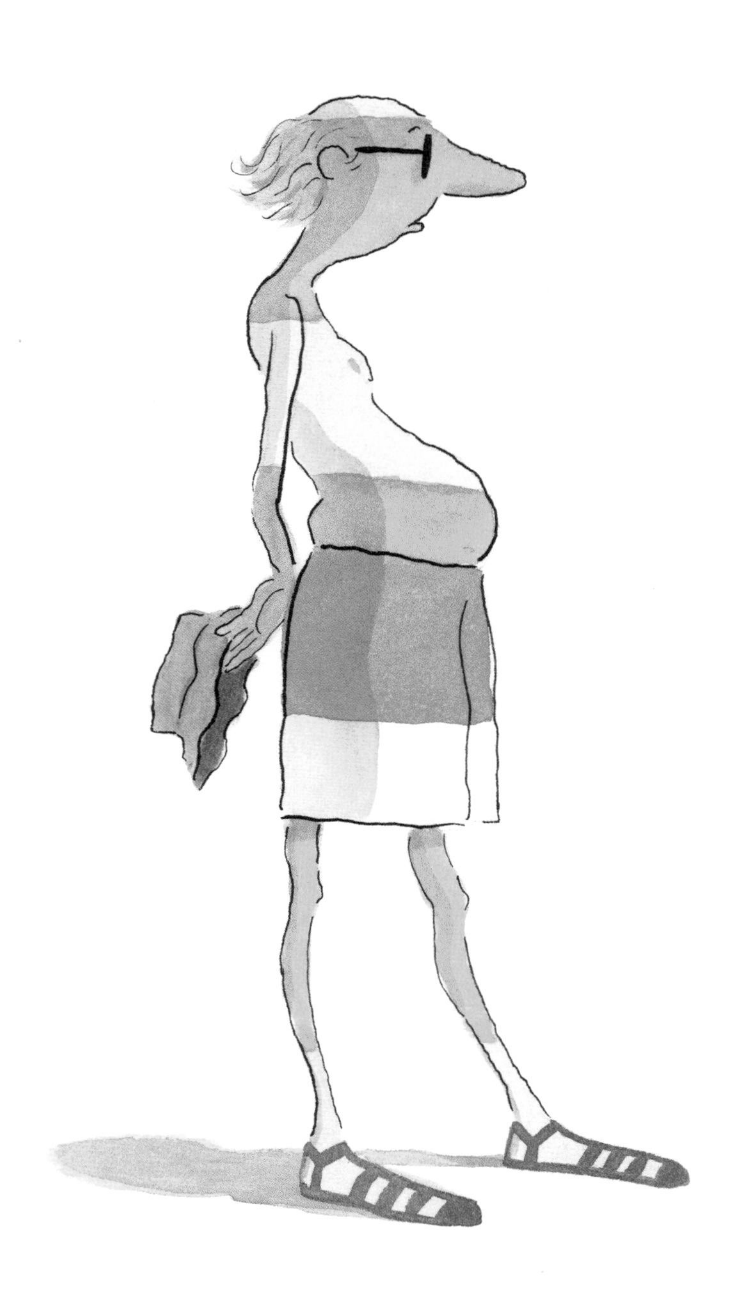

Michel & Ange

Été.

Modèle Suréquipé

Été.

Le Grand Saut

Été.

Vanille-Fraise

Été.

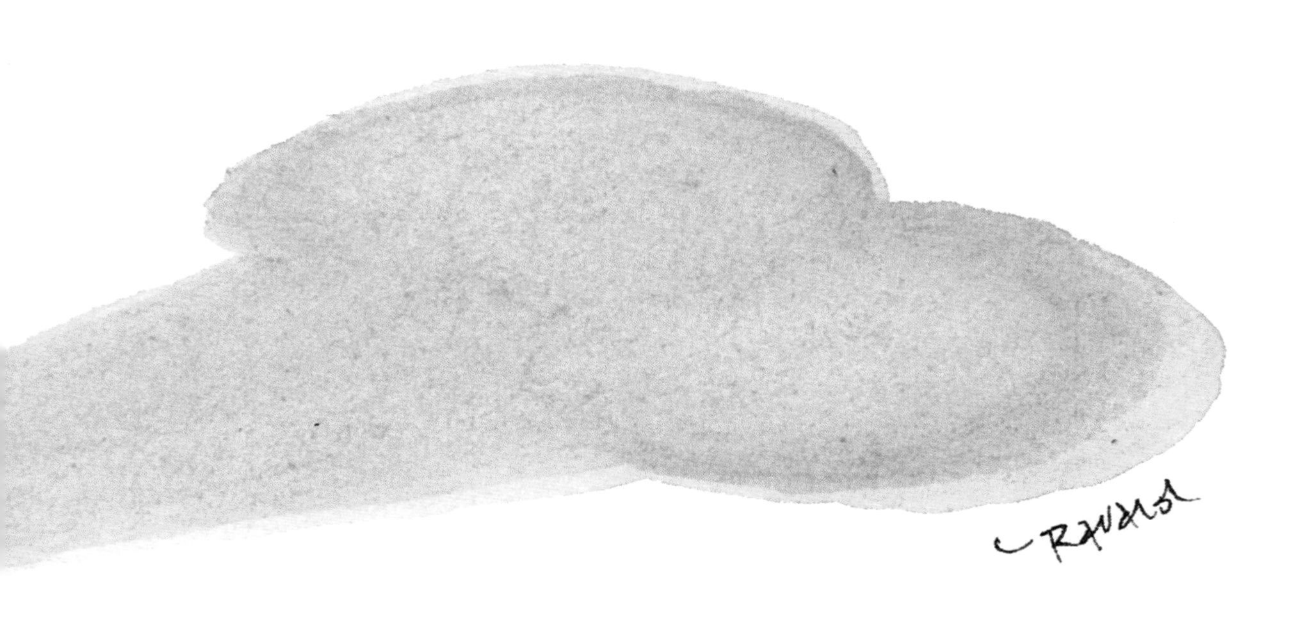

Promesse d'Aventures

Été.

Waterproof

Été.

Réveil Tardif

Été.

Contrastes

Automne.

Mouette Rieuse

Automne.

Guet-Apens

Automne.

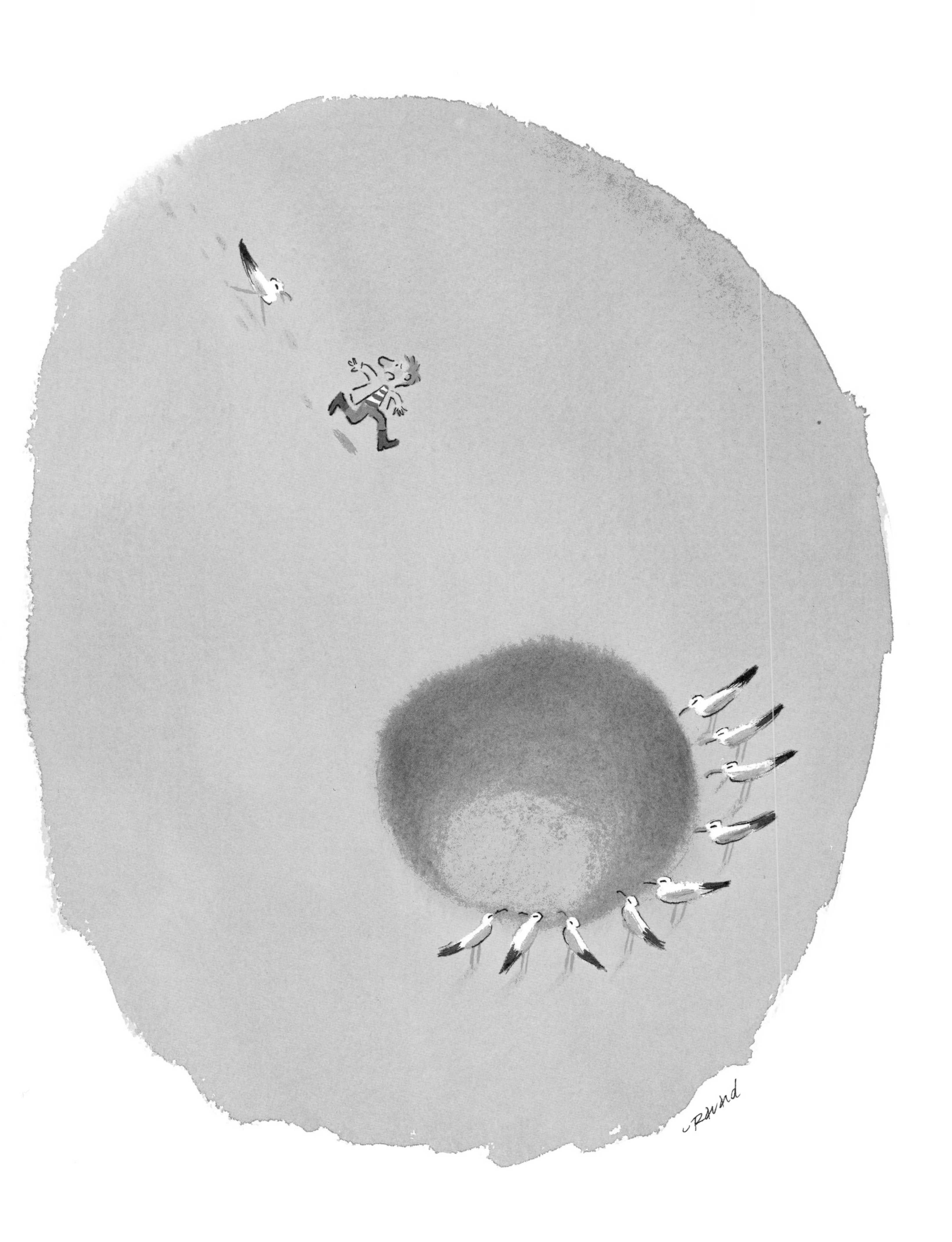

Grand Braquet

Automne.

Idylle

Automne.

Coup de Vent

Automne.

L'Arroseur Arrosé

Automne.

Vue Mer

Automne.

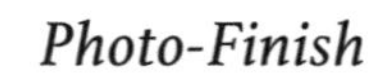

Photo-Finish

Automne.

Selfie Salé

Automne.

Précipitations

Automne.

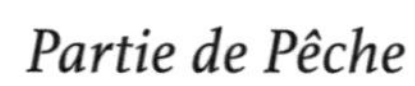

Partie de Pêche

Automne.

Mise en Plis

Automne.

Le Camping-Car Immergé

Automne.

O.V.N.I.

Automne.

Libre Interprétation

Automne.

L'Hiver Arrive

Hiver.

Promenade

Hiver.

Plein Phare

Hiver.

L'Insomnie

Hiver.

www.lagaleriealfred.fr